Esther
Quaen o tha Ulidian Pechts

Esther – Quaen o tha Ulidian Pechts
(Esther, Queen of the Ulster Picts)

Adaptit an owreset tae Ulster-Scotch wi
Philip Robinson

Illustratit wi
Gary Hamilton

Forepictur: *Art Maks Esther his Quaen in place o Nestor.*

For Beth and Fergus

ISBN 0 9530350 0 X

This book has been published with the assistance of
a grant from the Arts Council for Northern Ireland

Printed by W & G Baird
Published by ULLANS PRESS

The spelling of most Scots and Ulster-Scots words which have similar forms in English should provide little difficulty, even for those who have not read any Scots writings before:
e.g. good, stood, door, etc. = *guid, stuid, duir,* etc.

Less familiar spellings will be

(a) the use of ä for English "i" in words such as:

pit	–	*pät*
king	–	*käng*
quick	–	*quäck*
thing	–	*thäng*

(b) the use of a grave accent to indicate a "-tth-" sound in the preceding consonant:

ordèr	–	pronounced [ORDTHER]
dannèr ("stroll")	–	pronounced [DANNTHER]
eftèr ("after")	–	pronounced [EFTHER]
unnèr ("under")	–	pronounced [UNNTHER]

(c) the use of an acute accent to indicate vowel stress or emphasis:

coát	–	pronounced [KOH-AT]
rewárd	–	pronounced [REWAHRD]
ministèr	–	pronounced [MINNYSTHER]

(d) the use of Old Scots spellings such as:

quha	–	"who"
quhan	–	"when"
quhit-wye	–	"what-way"/"how"
quhaur	–	"where"
quhiles	–	"sometimes"/"meantime"
quhilk	–	"which"
scho	–	"she"

Glossary

aiblins	–	perhaps	hie	–	speed, rush
anent	–	concerning	hit	–	it
aye	–	always	ilk, ilka	–	each, every
ava	–	at all	jalouse	–	imagine, suppose
ben	–	inside	kängrick	–	kingdom
benmaist	–	innermost	kist	–	chest
bicker	–	cup	leid	–	nation, tongue
bield	–	shelter	mate	–	food
bien	–	well-to-do	maunnae	–	mustn't
biggit	–	built	mote	–	must
billie	–	friend, comrade	muckle	–	much, big
blooter	–	bluster	nor	–	than
bogle	–	spectre	repone	–	reply
boord	–	table, feast	scraichin	–	screeching
carlin	–	old woman	screivit	–	written
caylzie	–	visit	sennicht	–	week
collogue	–	confer	sic, siccan	–	such
cried	–	called	siller	–	silver
croose	–	proud	skail	–	scatter, broadcast
dour	–	determined	speirin	–	question
fashed	–	worried	starn	–	star
fornenst	–	beside, opposite	stauchart	–	staggered
frae	–	from	stramash	–	commotion
gan	–	go	tent	–	heed, attention
gif	–	if	tha mair	–	although
gin	–	if	the	–	they
gowd	–	gold	thole	–	put up with
greetin	–	crying	thon	–	that
gye	–	very	thran	–	stubborn
hansel	–	gift	twalmond	–	year
heichmaist	–	highest	wheen	–	number
heidyins	–	leaders	wittins	–	news
hidlins	–	secret	yett	–	gate

vi

ESTHER – QUAEN O THA ULIDIAN PECHTS

Käng Art craas croose on his ain midden

At-a-tim, near twa thoosan yeir syne, the wur mair nor a hunner tribes an clans wi thair ain loards an thanes apiece, roon aa airts o tha noarth o tha Brättisch Isles, leevin civil-like. Driv noarth bi tha Romans, ae strang, thran an dour Brättan the caa'd Art haed aa thae wee kintras brung thegither in yin big kängrick. A wheen o leids an fowks fae aa airts gien tribute til him quhan he wus made Käng on tha croonin stane at Duncunning – tha "forth o tha kängs". Amaing aa tha differin leids taen wi force an brocht tae the toon fornent tha Käng's forth wus yin caa'd tha Pechts. Quhit tha new maisters o tha Pechts didnae ken wus at it wus weemin the aye haed croont for quaens – an kängs wusnae thocht muckle o ava.

Frae tha Royal Forth in Duncunning, quhaur tha Heich-Käng sut, Käng Art haed commaun o 127 thanes an thair kintras frae tha seys aist o Scotlann, richt owre tha Dalriadae seys an on til the seys tae tha wast o Ullistèr. Quhaniver he wus Käng for thie yeir, he gien a boord for aa tha heich heidyins o tha Coort. Sodgers fae aa airts o Scotlann an Ullistèr haed cum, an thanes an loards o ilka kintra for-bye. For tha hale o sax month he craa'd croose, blaain an bummin hoo weel-aff he wus, schawin aff aa tha bricht gowd an siller o tha Royal Coort, in aa its bien brawness. Eftèr that, Käng Art gien a boord for aa tha men-fowk roon aboot Duncunning, weel-aff, ill-aff an aa soarts. Hit went on for a hale sennicht an wus hauden in tha gairden o tha Royal Forth. Tha bawn waa wus thair decoratit wi byue an white cloot hingins, boun wi coards o purple linen tae siller

rings on timmer colleums. Aisie-saits made wi gowd an siller wus set oot in tha bawn, quhilk wus pavit wi white merble, rid fellspar, bricht maither-o-pearl, an byue turquoise. Drinks wus gien oot in gowd bickers, nae twa tha same, an tha Käng wus gye an generous wi tha royal wine. Ye cud a haen as monie drinks as ye wantit, for tha Käng haed gien tha hoose-sarvints orders tae dae jist that.

King Art lords it over his own domain

Once, nearly two thousand years ago, more than a hundred tribes and clans, each with their own lords and chiefs, were living peacefully together around the northern British Isles. Driven north by the Romans, a powerful, determined man named Art united all those small territories into one big kingdom. A number of nations from all parts gave him tribute when he was crowned King on the coronation stone at Duncunning – "the fort of the kings". Among all the different groups of people which had been captured and brought to the town beside the King's fort was one called the Picts. What the new masters of the Picts did not know was that they always had crowned women as queens – and kings were not thought to be important.

From the Royal Fort in Duncunning, where the High King sat, King Art had command of 127 chiefs and their territories, from the east coast of Scotland right across to the west coast of Ulster. When he had been King for three years, he held a feast for all the important people of the Court. Soldiers came from all parts of Scotland and Ulster, and chiefs and lords from each area as well. For a full six months he lorded it, boasting and bragging how rich he was, showing off the shining gold and silver of the Royal Court, in all its rich splendour.

Then King Art gave a feast for all the men round about Duncunning, rich, poor and every kind. It lasted a whole week and was held in the garden of the Royal Fort. The wall of the fortified enclosure was decorated with blue and white cloth drapes, bound to silver rings on wooden posts with cords of purple linen. Armchairs made with gold and silver were set out in the enclosure, which was paved with white marble, red feldspar, shining mother of pearl and turquoise blue. Drinks were handed round in gold cups, each different in design, and the King was extremely generous with the royal wine. It was possible to have as many drinks as you wanted, because the King had given the servants orders to meet all requests.

Fornentpictur: *Sae King Art gien a boord for aa tha men fowk.*

Quaen Nestor laives tha nest

Quhiles, ben tha Käng's castle, Quaen Nestor wus giein a boord for tha weemin-fowk.

On tha seiventht day o his boord, tha Käng wus gettin tha waur o tha drìnk, sae he cried in tha seiven carlins he kepp as hauns for his ain sel. He gien thaim a commaun for tae get Quaen Nestor an bring her wi her royal croon on her heid. Tha Quaen wus yin guid-lukkin wumman, an tha Käng wantit tae scha her aff tae his visítors. Quhan tha carlins taul Quaen Nestor o quhit tha Käng haed commaunnit bot, scho wudnae gan. An tha Käng went perfaitlie mad. Noo hit wus tha Käng's wye o daein thängs for tae ast experts for thair mynn anent speirins o tha laa, sae he cried for his coonsellers at wud ken quhit shud be daen. Thaim at he aye turnt til for coonsel was seiven heidyins o Scotlann an Ullistèr at haudit tha heichmaist jabs in tha kängrick. He ses tae thaimuns, quo he: "See me, Art tha Käng, A toul ma sarvints for tae tak this commaun fae me til Quaen Nestor, an scho wudnae hae it! That's no tha thing is it? Quhit daes tha laa ha'tae say we maun dae wi her?"

Than tha Heid Minístèr gien oot tae thaim aa: "Quaen Nestor haes affrontit tha Käng an aa tha heich heidyins o tha laun! Ilk wumman in tha kintra wull stairt lukkin doon on thair men the day-an-hòor the heer tell o quhit tha Quaen haes daen. The'll go: "Käng Art ordèrit Quaen Nestor tae cum til him, an scho wudnae dae it". Quhan tha guidwifes o tha thanes o Scotlann an Ullistèr heer tell o tha Quaen's gettins on, the'll aa be tellin thair guidmen aboot it afore

---

Fornentpictur: *Quhaniver tha carlins taul Quaen Nestor scho maun cum til the Käng's boord, scho wudnae gan.*

5

dailigan. Guidwifes aa iver tha plaice winnae hae nae respeck for thair menfowk an guidmen'll rage thair weemin. Gif it plaises yer Heichness, ye shud gie a royal proclamation oot, at Nestor maunnae cum afore tha Käng agane, niver ava. Mak it be scrievit intae tha laas o Scotlann an Ullistèr, sae as it cannae get changeit. Than gie her croon tae a mair fit wumman an tak her for yer new Quaen. Quhan yer proclímation is skailit owre tha hale laun, ilka wumman wull gie her mon richt an proaper respeck, gin he be weel-aff or no."

Tha Käng an his minístèrs tuk tae this plon, an tha Käng daen quhit tha Heid Minístèr had taul thaim. Til ilka royal kintra he pit oot a message in its ain leid an wye o scrievin, sayin at ilka guidman maun be maister in his ain hoose, an hae tha last wurd.

Queen Nestor leaves the nest

Meanwhile, inside the King's fort, Queen Nestor was giving a feast for the women.

On the seventh day of his feast, the King was becoming more and more affected by the wine, so he called in the seven old women he kept as assistants for himself. He commanded them to get Queen Nestor and bring her with her royal crown on her head. The Queen was very good-looking, and the King wanted to show her off to his visitors. However, when the old women told Queen Nestor what the King had commanded, she would not go. And the King flew into a rage.

Now, it was usual for the King to ask experts about questions of law, so he called for his counsellors who would know what was to be done. Those whom he always turned to for advice were seven leaders of Scotland and Ulster who held the highest positions in the kingdom. To these he said: "I, Art the King, told my servants to command Queen Nestor to come to me, and she would not consider it! That is not appropriate, is it? What does the law have to say should be done with her?"

Then the Prime Minister proclaimed: "Queen Nestor has offended the King and all the nobles of the land! Every woman in the country will begin to despise their husbands as soon as they hear of what the Queen has done. They will say: "King Art ordered Queen Nestor to come to him, and she would not do it." When the chiefs' wives in Scotland and Ulster hear how the Queen has behaved, they will tell their husbands about it before the end of the day. Wives everywhere will have no respect for their menfolk, and husbands will scold their women. If it please your Highness, you should make a royal proclamation that Nestor must never again come before the King. Let it be written into the laws of Scotland and Ulster in such a way that it cannot be altered. Then give her crown to a better woman, and take her for your new Queen. When your proclamation is sent throughout the whole land, every woman will give her husband proper respect, whether he is rich or not."

The King and his ministers liked this plan, and the King did what the Prime Minister had told him. To every royal territory he issued a message in its own tongue and script, saying that every husband must be master in his own house, and have the last word.

Esther gets tae be Quaen

Syne, even quhaniver tha Käng haed quät ragein, he kepp thinkin on quhit Nestor daen an o his proclaimin agin her. Sae some o tha Käng's coonsellors at wus close wi him pit it til him: "Quhit for dae ye no luk oot a wheen o young maidens? Ye cud tak these here men fae ilka kintra in tha kängrick, an mak thaim officers for tae hae thaim gaither aa thir braw bricht lasses til yer weemin-hoose here in Duncunning, yer royal capital. Pit thaim unnèr Jannet, the carling at luks efter yer weemin, an hae thaim aa clained up an gien aa tha beautie warks for tae mak thaim luk thair best. Than tak tha lass ye gan for tha maist, an mak her yer Quaen insteed o Nestor."

Tha Käng thocht this wusnae sic a bad idea, sae he daen it.

Richt thar, in Duncunning, the wur this Pecht leeved at the caa'd Mordie, a sinn o Drustie. He wus yin o tha Madoles an wus descendit fae Daniel tha Blak Sodger. Quhan Käng Art o tha Brättans taen Käng Murdok o tha Pechts intae Scotlann fae Blathewyc in Ullistèr, alang wi a crood o ither captives, Mordie wus amaing thaim. Mordie haed a cousin, Esther, at gat tha naem o Madaan wi tha Pechts. Scho wus a guid-lukker an haed a guid figger anaa. Quhaniver her maither an faither deed, Mordie haed her tuk in as his ain dauchter an raired her, tha mair he wus a widda-man hissel.

Quhan tha Käng made his new order, an a hale wheen o lasses wus brung tae Duncunning, Esther wus pit alang wi thaim. Sae scho wus pit in tha royal castle wi tha rest, unnèr Jannet at haed chairge o tha Käng's weemin-hoose. Jannet tuk tae Esther, an she loast nae

Fornentpictur: *A wheen o young lasses wus gaithert for tha royal weemin-hoose in Duncunning.*

9

time ava wi her beautie-traitmint o rubbin doon an haein her mate picked oot special for her. She gien her tha tap place in tha weemin-hoose, an gat seiven lasses fae tha royal coort jist tae rin eftèr her. Noo, Mordie haed haed a wurd wi Esther for tae mak sure scho wud-nae let on scho wus a Pecht. Ilka day Mordie wud dannèr bak an for-rits ahint tha royal weemin-hoose, sae as tae fynn oot quhit-wye scho wus gettin on.

Tha beautie-wark on aa thae weemin lastit a twalmond – rubbin doon wi oil o myrrh for sax month an wi oil o balsam for sax mair. Eftèr that, ilka lassie wus taen yin-bi-yin til Käng Art. Quhan onie ae lass's turn cum, scho cud pit quhitiver claes scho liked on her. Scho wud gan thar at nicht, an cum tha morn scho wud get tuk tae anither weemin-hoose an get pit unnèr Ephie, tha carlin at luked efter tha Käng's fancie-weemin. Scho wudnae gan tae the Käng agane less he fancied her eneuch tae ast for her bi naem.

Tha time cum for Esther tae gan til the Käng quhaniver Art haed bin Käng echt yeir. He tuk tae her mair nor onie o tha ithers an, afore lang, he pit tha royal croon on her heid an made her Quaen in place o Nestor. Than the Käng gien a big boord for Esther an axed aa tha heidyins tae. He orderit a holíday for the hale kintra an skailt hansels roon him like onlie a Käng cud dae. Quhiles Mordie wus made a minístèr bi tha Käng. As for Esther, scho hadnae let on yit at scho wus a Pecht. Mordie had toul her no tae let on tae naeboadie, an scho daen quhit scho wus toul, jist like scho daen quhan scho wus a wee wean in his hoose.

Fornentpictur: *Mordie tha Pecht larns at twa sodgers is for murdèrin tha Käng.*

Quhan Mordie wrocht for tha Käng an wus leevin ben tha forth, twa o tha castle sodgers at stuid guerd at tha dure o tha Käng's chaummers haed a bit sleekit gat, an made a plon tae murdèr tha Käng. Mordie foon oot aboot it an toul Quaen Esther, quha than went an toul the Käng straicht aff quhat Mordie haed warnt. Quhaniver the luked intae it, the foon tha storie tae be true, sae baith men wus hung on tha gallas. Tha Käng made a richt an scrievit accoont o thir daeins bi haein it writ doon in the historie o tha kängrick.

Esther is granted the Crown

Then, even when the King had calmed down, he kept thinking about what Nestor had done and of his proclamation against her. So some of the King's counsellors who were close to him made a proposal: "Why do you not seek a number of young maidens? You could take the men you have assembled from every province in the kingdom, and make them officers charged with the task of gathering all their fine, beautiful girls to the house of your women here in Duncunning, your royal capital. Put them under the charge of Janet, the old spinster who looks after your women, and have them all cleaned up and made to look their best. Then take the girl you are most attracted to and make her your Queen instead of Nestor."

The King thought this was a great idea, so he agreed.

In that very place, Duncunning, there lived one particular Pict called Mordie, a son of Drustie. He was one of the Madoles, descended from Daniel the Black Soldier. When Art, King of the Britons, took the Pictish King Murdoch to Scotland from Blathewyc in Ulster, along with a crowd of other captives, Mordie was among them. Mordie had a cousin, Esther, whom the Picts called Madaan. She was attractive and also slim. When her mother and father died, Mordie had taken her into his home as his own daughter and brought her up, although he was himself a widower.

When the King made his new order, and a large number of girls were brought to Duncunning, Esther was placed among them. So she was put

---

Fornentpictur: *Tha Käng tuk his ring aff an gien it til Neall, tha illest fae o aa tha Pechts.*

into the royal castle along with the rest, in the care of Janet, who had charge of the house of the King's women. Janet took to Esther, and she wasted no time at all in starting her beauty treatment. She gave her pride of place in the house of the women, and obtained seven servant girls from the royal court just to dance attendance on her. Now, Mordie had told Esther privately to make sure she did not let it slip that she was a Pict. Every day, Mordie would stroll back and forwards in front of the house of the royal women, to find out how she was faring.

The beauty treatment on all those women lasted for a year – massage with oil of myrrh for six months, and with oil of balsam for a further six. After that, every girl was taken one at a time to King Art. When each girl's turn came, she could dress herself just as she pleased. She would go there at night, and when morning came she would be taken to another house of the royal women and be put into the care of Ephie, the old woman who looked after the King's concubines. She would not visit the King again unless he liked her enough to ask for her by name.

When Art had been King for eight years, the time came for Esther to go to him. He preferred her to any of the others and, before long, he put the royal crown on her head and made her Queen in place of Nestor. Then the King gave a banquet for Esther and asked all those in important positions too. He ordered a holiday for the whole country and distributed gifts far and wide as only a King could do.

Meanwhile, Mordie was made a minister by the King. As for Esther, she had not yet admitted that she was a Pict. Mordie had told her to say nothing to anyone, and she did what she was told, just as she did when she was a small child in his house. When Mordie worked for the King and was living inside the fort, two untrustworthy soldiers who stood guard at the door of the King's apartments were planning to murder the King. Mordie found out about it and told Queen Esther, who then went and told the King right away of Mordie's warning. When they looked into it, they found the story was true, so both men were hanged on the gallows. The King had an account of this written down in the history of the kingdom.

Neall plots agin tha Pechts

Eftèr a wee Käng Art made a man caa'd Neall up tae be Heid Minístèr. Tha Käng commaunit aa tha heich heidyins tae scha thair respeck for him bi gettin doon on tha ae knee an bowin tae him. Aaboadie daen sae, barrin Mordie, quha wudnae bow tha knee. The ither heidyins ast hoo cum he wudnae dae tha Käng's order. Day bi day, the aa egged him on, bot he wudnae heer tell o't. "A'm a Pecht, sae A am", ses he "an A cannae bow tha knee til Neall, tha mair it be tha laa". Sae the toul Neall on him, for tae see gif he wud pit up wi Mordie's gettin on. Neall wus ragin quhaniver he kent Mordie wudnae get doon on his hunkers an bow til him, an quhaniver he larnt Mordie wus a Pecht, he made his mynn up no jist tae get his ain back on Mordie his lane. He made a plon ta'hae aa tha Pechts in tha hale kintra kilt.

In tha twaltht yeir o Käng Art's day, Neall orderit straes tae be pu'ed (tha Blak Draa, the caa it syne), for tae pick tha richt day an tha richt montht for tae haud tha massacrae. Tha 13t o Decemmer wus chuse.

Sae Neall toul tha Käng, "Thar's this leid o fowk skailt aa owre yer kängrick an foon in ilka kintra. The hae thair ain wyes and fowk-gates an binnae like tha rest o iz. Forbye the dinnae kaep oor kin-tra's laas, sae ye shudnae thole thaim nae mair. Gif it plaises yer Heichness, pit oot an order for thaim tae be kilt. Gif ye dae, A'll war-rant ye A'll can gaither 340 mair kists o siller for rinnin tha kintra." Tha Käng taen his ring aff, at wus uist for sealin Royal Orders an Pleas, an gien it til Neall, tha illest fae o aa tha Pechts. Tha Käng toul him "Thae fowk, an thair siller, is yours. Jist dae quhativer ye like wi thaim." Sae on tha 13t o Jenewarrie, Neall caa'd tha sécetaries o tha Käng thegither an cried an order tae be owresett til ilka leid an wye o scrievin uisit in tha kängrick, for sennin tae aa tha thanes an heich heidyins. It wus pit oot wi tha naem o Käng Art an sealit wi his ring. Fitmen tuk this Order tae ilka kintra in tha kängrick. It haed in it quhit-wye aa tha Pechts – young an oul, weemin an childèr – wus tae be kilt on tha ae day. The wur for gettin murdert wi'oot let or hindrance, an thair gear wus tae be taen. Quhit wus in tha Order wus tae be made publik in ilka kintra, sae as aaboadie wud be readie quhan tha time cum.

At tha commaun o tha Käng the Order wus made publik in Duncunning an rinners tuk the wittins on fit til ilka kintra. Tha Käng an Neall sut thairsels doon an tuk a drink as tha toon an kintra roon aboot wus in a stramash.

Neall plots against the Picts

After a while, King Art promoted a man called Neall to Prime Minister. The King commanded all the high officials to show their respect for him by dropping on one knee and bowing to him. Everyone did so except Mordie, who would not bow the knee. The other officials asked why he would not comply with the King's order. Day after day they kept at him, but he would have none of it. "I am a Pict," he said, "and I cannot bow the knee to Neall, even if it is the law." So they informed on him to Neall, to see if he would put up with the way Mordie behaved. Neall was furious when he knew Mordie would not bow to him, and when he learned that Mordie was a Pict, he made up his mind to get his own back, not just on Mordie alone. He made a plan to have all the Picts in the whole country killed.

In the twelfth year of the reign of King Art, Neall ordered straws to be pulled (the Black Draw, as it is called), to choose the correct day and month to hold the massacre. The 13th of December was chosen.

So Neall told the King: "There is a race of people spread over your kingdom and found in every province. They have their own ways and customs and are not like the rest of us. In addition, they do not keep our country's laws, so you should not put up with them any longer. If it please your Highness, send forth an order to have them killed. If you do, I will guarantee that I can gather 340 more chests of money to run the country."

The King took off his ring which was used to seal Royal Orders and Pleas, and gave it to Neall, the grimmest foe of all the Picts. The King told him, "These people, and their money, are yours. Just do as you wish with them." So on the 13th of January, Neall called the King's secretaries together and called for a decree to be translated into every tongue and style of writing used in the kingdom, to send to all the chiefs and lords. It was issued in the name of King Art, and sealed with his ring. Footmen took this Order to every province in the kingdom. It stated how all the Picts – young and old, women and children – were to be killed in one day. They were doomed to be murdered without any defence, and their property was to be taken. The contents of the Order were to be made public in every province, so that everyone would be ready when the time came.

At the command of the King, the Order was made public in Duncunning, and runners took the news on foot to every province. The King and Neall sat down to drink as the town and country round about was in ferment.

Mordie asts Esther for help

Quhaniver Mordie larnt aa quhit wus daen, he taen a knife tae his claes an cut thaim tae tatters, he wus that mad. He stauchert roon tha hooses scraichin an yowlin, tae he cum tae tha duir o tha Käng's forth. He niver went in, for naeboadie wus let in wi'oot thair guid claes on. Richt th'oo tha kängrick, quhan tha Käng's order wus gat in ilka kintra, thar wus a big upset amang tha Pechts. The greetit, yowlt an went aff thair mate, an maist o thaim pit oul tattert claes on thaim.

Quhan Esther's sarvint-lasses an carlins toul her quhit Mordie wus daein, scho wus gye upset hersel. Scho toul tha sarvints tae bring new claes tae Mordie, but he wudnae tak thaim. Than scho cried Atna, yin o tha royal carlins tha Käng gien her, an toul her for tae gan til Mordie an fynn oot quhit wus gan on, an for-why. Atna went up tae Mordie in tha Diamonn in front o tha yett o tha royal forth. Mordie toul her aa quhit haed bin gan on an jist hoo muckle siller Neall wus gonnae pit in tha Royal Kist-Hoose gif aa tha Pechts wus kilt. He gien Atna a copie o tha Order at wus pit oot fae Duncunning for massacreein tha Pechts. Mordie axed her for tae tak it til Esther, gie her tha ins an oots o it, an ax her tae gan and plaid wi tha Käng for mercie for her ain fowk.

Atna daen this an Esther gien her this message tae bring bak tae Mordie: "Gif onieboadie, man or wummin, gans ben tha royal forth an yocks tha Käng wi'oot bein ast, thon boadie maun dee. That bis tha laa; aaboadie, frae tha Käng's minísters tae the fowks oot in tha kintras, kens that. The'r jist tha yin road roon this laa: gif tha Käng hauds oot his gowd wann tae someboadie, than a boadie wud get aff an winnae dee." Esther wus sair-hairtit quhaniver scho added "Hits a montht fae tha Käng axed for me bot." Quhan Mordie gat Esther's message, he sent bak a warnin: "Dinnae jalouse at ye'd be mair safe nor onie ither Pecht for bein in tha royal forth. Gif ye houl yer tung jist noo, halp wull cum fae Abane for tha Pechts. You wull dee bot, an yer maither's line wull cum tae an enn. Mynn, quha kens bot aiblins this wus quhit ye wur made Quaen for!"

Esther cum bak wi a repone for Mordie. Here's her: "Gaen an gaither aa tha Pechts in Duncunning thegither, houl a fastin, an mak a prayer for me. Dinnae ate nor drink naethin for thie days an nichts. Ma sarvint-lasses an masel is gonnae be daein tha same. Eftèr that, A'll gan til tha Käng, even tho it's agin tha laa. Gin A maun dee for daein it, sae mote hit be."

Mordie than left an daen iverythin at Esther toul him.

Mordie asks Esther for help

When Mordie learned all that had been done, he was so angry he lifted a knife and cut his clothes in shreds. He staggered round the houses shrieking and howling, till he came to the door of the King's fort. He did not go in, for no-one was allowed in improperly dressed. All through the kingdom, when the King's decree was received in each province, there was great consternation among the Picts. They wept, howled and fasted, and most of them dressed in the garb of mourning.

When Esther's servant girls and old women told her what Mordie was doing, she was very upset herself. She told the servants to take Mordie new clothes, but he would not accept them. Then she called Atna, one of the old women of the royal household, given to her by the King, and told her to go to Mordie and find out what was happening, and why. Atna approached Mordie in the Square in front of the gate of the royal fort. Mordie told her all that had been going on and just how much money Neall was going to put in the Royal Treasury if all the Picts were killed. He gave Atna a copy of the Order that was issued from Duncunning to massacre the Picts. Mordie asked her to take it to Esther, give her the details of it, and ask her to plead with the King for mercy for her own people. Atna did this, and Esther gave her this message to take back to Mordie: "If anybody, man or woman, goes inside the royal fort and joins issue with the King without being asked, that person must die. That is the law; everybody, from the King's ministers to the people out in the provinces, knows that. There is only one way round this law: if the King holds out his golden sceptre to someone, then that person would escape and would not die." Esther was sad when she added, "However, it is a month since the King asked for me." When Mordie received Esther's message, he sent back a warning: "Don't assume that you would be safer than any other Pict just because you are in the royal fort. If you say nothing at this time, help will come from Above for the Picts. However, you will die, and your mother's succession will come to an end. Bear in mind that no one knows whether this perhaps was why you were made Queen."

Esther returned this response to Mordie: "Go and gather together all the Picts in Duncunning, hold a fast, and pray for me. Don't eat or drink for three days and nights. My servant girls and myself will be going the same. After that, I will go to the King, even though it is against the law. If I die for doing it, so be it."

Mordie then left and did everything that Esther had told him.

Esther gies tha Käng an Neall an invite tae a boord

On tha thurd day o her fastin, Esther pit her royal claes on, an went an stuid in the benmaist yaird o tha Castle, fornenst tha chaummer wi tha Croonin Stane. Tha Käng wus ben tha chaummer, on the Royal Stane, sut in front o tha yett. Quhan tha Käng saen Quaen Esther stuid ootbye, scho wun his ee, an he hell oot tha gowd wann till her. Sae scho cum up an tuk houl o tha tither enn o tha wann. "Quhat's wi ye, Quaen Esther?" tha Käng axed. "Naem quhit ye want, an ye'll hae it – nae matter gif its hauf ma hale kängrick".

Esther reponed, "Gif it plaise yer Heichness, A'm lukin Neall an yersel tae caylzie thenicht at a boord A'm gettin readie for yis".

Tha Käng than gien Neall an order tae cum quäck, sae as the cud be Esther's guests. Sae tha Käng an Neall went til Esther's boord. Hauf fu wi tha wine tha Käng axed her, "Tell us quhit ye're eftèr an ye maun hae it. A be tae gie ye quhit iver ye ax for, tho ye shud ax for hauf ma kängrick."

Esther reponed, "Gif yer Heichness be guid eneuch tae gie us ma big favour, A wud want Neall an yersel tae caylzie agane themorra nicht at anither boord at A wull get readie for yis. Cum than A'll tell ye quhit A want. Quhan Neall gat up fae tha boord tae awa hame he wus blythe an feelin guid. Bot than he saen Mordie at tha yett o tha forth, sittin, an quhan Mordie wudnae get up nor scha onie respeck as he went by, Neall wus ragin wi him. Bot he tuk houl o hissel an awa'd hame oniehoo. Than he gien a wheen o his billies an invite tae his hoose an axed his guidwife Kathrine tae join thaim. He bum-

---

Fornentpictur: *Neall gaed perfaitlie mad quhaniver he saen Mordie sut at tha yett o tha forth, no schawin nae respeck til him.*

mit an blaa'd o hoo weel-aff he wus, hoo monie sinns he haed, quhit-wye tha Käng haed made him up tae heich office, an hoo he wus mair big wi tha Käng nor onie o tha ithers at coort. "An anither thäng", Neall went on, "Quaen Esther gien a boord for naeboadie barrin me an tha Käng, an we'r baith for gan bak themorra – bot aa this mains naethin ava sae lang as A see thon Pecht Mordie sut at tha yett o tha forth." Sae his guidwife an aa his freens ses, "Shud ye no get a galla biggit, twonnie fut heich? Themorra morn ye can ax the Käng for tae hae Mordie hung on it, an then ye'll can gan tae tha boord aisie in yer ain mynn." Neall thocht this wusnae a bad idea, sae he gat tha gallas biggit.

Esther gives the King and Neall an invitation to a feast

On the third day of her fast, Esther dressed herself in her royal clothes, and went and stood in the innermost yard of the Castle, before the room containing the Coronation Stone. The King was inside the room, on the Royal Stone, sitting in front of the gate. When the King saw Queen Esther standing outside, she caught his eye, and he held out the gold sceptre to her. So she approached and grasped the other end of the scep-tre. "What is the matter with you, Queen Esther?" the King asked. "Name what you want, and you shall have it – no matter if it is half my whole kingdom."

Esther replied, "If it please your Highness, I am expecting Neall and yourself to visit tonight at a feast I am preparing for you."

The King then gave Neall an order to come quickly, so that they could be Esther's guests. So the King and Neall went to Esther's feast. Half drunk with the wine, the King asked her, "Tell us what you want, and you must have it. I really will give you whatever you ask for, though you should ask for half my kingdom."

Esther replied, "If your Highness would be good enough to grant me a great favour, I would want Neall and yourself to visit again tomorrow night at another feast I shall prepare for you. Come, then I shall tell you what I want."

When Neall rose from the feast to make his way home he was in good spirits and feeling great. But then he saw Mordie at the gate of the fort, sitting, and when Mordie would not rise nor show any respect as he passed, Neall was furious with him. But he controlled himself and went home anyhow. Then he gave a number of his friends an invitation to his house, and asked his wife Kathrine to join them. He boasted and bragged of how well off he was, how many sons he had, how the King had promoted him to high office, and how he was more in the King's good graces than any of the others at court. "And another thing," Neall went on, "Queen Esther gave a feast for only me and the King, and we both intend to go back tomorrow. But all this means nothing at all so long as I see that Pict Mordie sitting at the gate of the fort." So his wife and all his friends said, "Why not have a gallows built, twenty feet high? Tomorrow morning you can ask the King to have Mordie hanged there, and then you can go to the feast with an untroubled mind." Neall thought this was a good idea, so he had the gallows built.

Tha Käng gies Mordie an unco honour

Thon same nicht tha Käng cudnae get owre tae slaep, sae he orderit tha official buiks o state tae be brung an read oot tae him. A bit o quhit wus read oot haed in it tha accoont o quhit-wye Mordie haed discovered tha plot tae murder tha Käng – tha plon made by tha twa sodgers at stuid guerd owre tha Käng's chaummers. Tha Käng axed, "Quhit-wye daed we rewárd Mordie for this?"

His sarvints reponed: "Naethin wus daen for him".

"Is onie o ma minísters aboot?" tha Käng speired. Noo Neall wus jist cum in tha forth for tae ast tha Käng til hae Mordie hung on tha gallas at wus noo readie. Sae tha sarvints reponed "Neall's here, sae he is, waitin tae see ye". "Bring him in", tha Käng ses.

Sae Neall cum in, an tha Käng ses tae him, "The'r this boadie A'm wantin tae gie an honour tae. Quhit shud A dae for siccan a man?" Neall thocht intil hissel, "Noo, quha wud tha Käng want tae gie sic an honour til? Me, o coorse".

Sae he toul tha Käng, "Ye shud order royal claes tae be brung for this man – claes as ye wud pit on yersel. An ordèr a gowd starn tae be pit on the heid o yer ain horse. Than get yin o yer heich heidyins tae pit thae claes on tha man, an laid him, moontit up on tha pownie, th'oo tha Diamonn o tha toon. An mak tha heich-heidyin crie as the gan: `Luk quhit-wye tha Käng haes this man rewárdit'". Then tha Käng ses tae Neall, "Quäck, hie up an get tha claes an ma pownie, an gie thaim tae Mordie tha Pecht. Dae iverythin ye hae suggestit for him. Ye'll fynn him sut at tha yett o tha forth".

Fornentpictur: *Neall wus gart tak Mordie roon tha toon crie'in, "Luk quhit-wye tha Käng haes this man rewárdit."*

27

Sae Neall gat tha claes an tha pownie, an he pit tha claes on Mordie. Mordie gat up on tha horse, an Neall led him th'oo tha toon crie'in alang tha road: "Luk quhit-wye tha Käng haes this man rewárdit".

Mordie then gaed bak til tha yett o tha forth, an Neall hied hame, owre ocht affrontit. He toul his guidwife an aa his freens aa quhit haed bin daen til him. Than scho an her bricht freens ses til him, "Ye'r stairtin tae loss yer clink tae Mordie. He is a Pecht an ye cannae pit him doon. He'll bate ye for certes".

The King gives Mordie an unusual honour

That same night, the King found it impossible to fall asleep, so he ordered the official state records to be brought and read to him. Part of what was read contained the account of how Mordie had discovered the plot to murder the King – the plan made by the two soldiers who stood guard over the King's apartments. The King asked, "How did we reward Mordie for this?"

His servants replied, "Nothing was done for him."

"Are any of my ministers around?" asked the King. Now Neall had just come into the fort to ask the King to have Mordie hung on the prepared gallows. So the servants replied, "Neall's here, indeed, waiting to see you." "Bring him in," said the King.

So Neall came in, and the King said to him, "There is a person to whom I wish to give an honour. What should I do for such a man?" Neall wondered, "Now, to whom would the King wish to give such an honour? Me, of course."

So he told the King, "You should order royal clothes to be brought for this man – clothes that you would wear yourself. And order a gold star to be put on the head of your own horse. Then have one of your chief officials put those clothes on the man, and lead him, mounted on the pony, through the Square of the town. And make the chief official call as they go: 'See how the King has rewarded this man.'".

Fornentpictur: *Bak in tha chaummer tha Käng cum, an catched Neall: "Wud ye intèrfere wi tha Quaen in ma ain hoose?"*

Then the King said to Neall, "Make haste, go up and get the clothes and my horse, and give them to Mordie the Pict. Do everything you have suggested for him. You will find him sitting at the gate of the fort."

So Neall fetched the clothes and the horse, and he put the clothes on Mordie. Mordie got up on the horse, and Neall led him through the town, calling along the way, "Look how the King has rewarded this man."

Mordie then went back to the gate of the fort, and Neall went home, offended beyond words. He told his wife and all his friends what had been done to him. Then she and her wise friends said to him, "You are losing your advantage to Mordie. He is a Pict and you cannot get the better of him. He will certainly beat you."

Fornentpictur: *Mordie wairnt tha Pechts: "Tak tent. Awa an dig oot päts in tha grun, an kep thaim wi stanes, sae as thaim as cannae fecht can gan unnèrgrun."*

Neall is pit tae death

Quhan the wur aa taakin yit, tha royal carlins cum rinnin in in a fistle tae tak Neall til Esther's boord. An sae tha Käng an Neall went tae ate wi Esther yinst mair. Quhan the wur at tha wine, tha Käng axed her agane, "Noo, Quaen Esther, quhit wud it be ye want? Tell me an ye wull hae it. A'd even gie ye hauf ma kängrick".

Quaen Esther reponed, "Gif it plaise yer Heichness tae gie me jist yin wee favour, A wiss at A cud leeve an ma fowk cud leeve in paice. Ma fowk an me haes bin soul for slauchter. Gif it wurnae ocht mair nor bein made intae slaves, A wud hae kepp queeit an no fashed ye anent it, bot we ir aa for bein massacreed – wiped oot". Than Käng Art axed Quaen Esther, "Quha wud dar dae siccana thäng? Quhaur is he?" Esther answert, "Oor fae, oor ain blak bogle is this verie here bad man, Neall".

Neall gawk't at tha Käng an Quaen wi fricht. Tha Käng gat up ragin, blootered oot tha chaummer an gaed ootbye til tha forth gairden. Neall cud see he wus in for it an tha Käng wus gonnae get him, sae he stappt bak tae beg Quaen Esther for his life. He wus jist after gettin doon at Esther's lap tae beg for mercie, quhaniver bak in tha chaummer tha Käng cum, fae tha gairden. Seein this tha Käng caa'd oot, "Ir ye for tryin tae intèrfere wi tha Quaen richt here in my ain hoose?" Tha Käng haednae daen afore tha sodger-guerds pit a beg owre Neall's heid. Than yin o thaim ses, "Neall even haed a gallas biggit at his hoose sae as he cud hang Mordie, him at saved yer life. An it's twonnie fit heich". "Weel, hang Neall on it", tha Käng orderit. Sae Neall wus hung fae tha gallas at he haed biggit for Mordie.

32

Neall is put to death

While they were still talking, the royal crones came running in in a flurry to take Neall to Esther's feast. And so the King and Neall went to eat with Esther once more. When they were at the wine, the King asked her again, "Now, Queen Esther, exactly what do you want? Tell me and you shall have it. I would even give you half my kingdom."

Queen Esther replied, "If it please your Highness to grant me just one small favour. I wish that I and my people could live in peace. My people and I have been sold for slaughter. If it were no more than being enslaved, I would have kept silence and not troubled you about it, but we are all to be massacred – eliminated." Then King Art asked Queen Esther, "Who would dare do such a thing? Where is he?" Esther answered, "Our enemy, our own evil object of terror, is this same wicked man, Neall."

Neall stared at the King and Queen in fright. The King got up in fury, stumbled out of the room and went outside into the fort garden. Neall could see he was heading for trouble, and the King was going to deal with him, so he waited behind to beg Queen Esther for his life. He had just grovelled at Esther's knees to beg for mercy when the King came back into the room from the garden. Seeing this, the King cried out, "Do you intend to rape the Queen right here in my own house?"

The King had hardly finished speaking before the soldier guards covered Neall's head with a sack. Then one of them said, "Neall even had a gallows built at his house on which to hang Mordie, the very man who saved your life. And it is twenty feet high." "Well, hang Neall on it, " ordered the King. So Neall was hanged on the gallows he had built for Mordie.

Tha Pechts is toul tae fecht

Thon same day Käng Art gien Quaen Esther aa tha siller an gear at wus Neall's – him as wus tha muckle fae o aa tha Pechts. Esther toul tha Käng at Mordie an her wus freens – cousins like, an frae than on Mordie wus let leeve ben tha royal forth. Tha Käng taen his ring aff o his fing'r (tha yin wi tha seal on it at he haed tuk bak aff Neall), an he giv it til Mordie. Esther pit Mordie owre aa Neall's hooses an launs.

Than Esther spake tae tha Käng agane, greetin at his faet. Scho begged him tae pit a stap tae tha ill plon at Neall haed made agin tha Pechts. The Käng hell oot tha gowd wann tae her yinst mair, sae up scho stuid an quo scho: "Gif it plaise yer Heichness, an gif ye hae a care for me, an gif ye think it richt, plaise stap Neall's Order tae hae aa tha Pechts kilt in ilka airt o tha kängrick. Quhit-wye cud A thole it gif ma ain fowks wus aa murdered?"

Käng Art than ses tae Quaen Esther an Mordie tha Pecht: "Luk, A hae taen Neall an haen him hung for his ill plon agin tha Pechts, an A hae gien Esther aa his gear. Bot royal orders aye bis daen in tha Käng's naem an quhan its sealit wi tha Royal Seal it cannae be stapt. Ye can, bot, scrieve tae tha Pechts quhativer ither thing ye want, an ye can scrieve it in tha Käng's naem an seal it wi tha Royal Seal". Thir daeins wus on tha 22t o Mairch. Mordie caa'd tha Käng's scrievers thegither an writ letters tae tha Pechts an tae tha thanes, ministers an officers o aa tha 127 kintras frae Scotlann tae Ullíster. Thae letters wus writ tae ilka kintra in thair ain leid an wye o scrievin. Mordie haed tha letters writ in tha naem o Käng Art an the wur stampit wi tha Royal Seal.

Thir lettèrs pit oot at ilka Pecht in ilka airt cud cum thegither an collogue, an the cud big stane bields in hidlins an tak up airms thairsels. Gin onie mon shud mak tae fecht tha Pechts, tha mair the

---

Fornentpictur: *Pechts cum fae aa airts an pairts tae gie hansels o gowd an siller tae thair ain Quaen Esther, an tae Käng Art.*

haed tha Käng's commaun o Neall ahint thaim, tha Pechts cud fecht bak an slauchter thaim. This new order wus tae stairt fae tha 13t o Desemmer. Mordie rud oot tha forth, wi his royal claes o byue an white on him, an a coát o purple linen an a bricht gowd croon. Tha Straets an Raas o Duncunning wus hoochin wi Pechts, guldèrin an makin a brave daeins o a celebration oot o it aa. Mordie stapt his pownie in tha Diamonn an cried, "Tak tent. Dinnae quät makin readie. Thar's mebbe nae safítie in nummers quhan Neall's boys cum. Awa an dig oot päts in tha grun, an kep thaim wi stanes, sae as thaim as cannae fecht can gan unnèrgrun".

Cum tha 13t o Decemmer, tha day o tha Blak Draa, aa thaim at fallaed Neall an quha wus sae sair agin tha Pechts at the beed tae fecht yit, ris up an mairched agin thaim, tha mair Neall wus deid. Bot tha Pechts meltit awa intae tha grun afore thaim, barrin twathie pairts quhaur the wus sae monie Pechts the cud defenn thairsels, in thair ain kintra maistlie.

Quhan tha fechtin wus owre, tha Pechts haed wun tha day. Teens o thoosans o Pechts cum fae aa airts an pairts o tha kängrick tae celebrate in Duncunning. An tae gie hansels o gowd an siller tae their ain Quaen Esther, an tae Käng Art. Thar wus mair nor 350 kists o gowd an siller gaithert thon day – mair nor Neall haed made promíse o tae tha Käng.

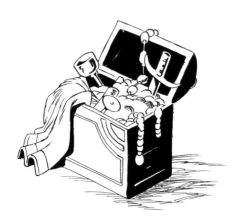

36

The Picts are told to fight

That same day, King Art gave Queen Esther all the money that had been Neall's – he who had been the great enemy of all the Picts. Esther told the King that Mordie and she were related to each other and from then on, Mordie was allowed to live inside the royal fort. The King took from his finger his ring which he used as a seal, and which he had retrieved from Neall, and he gave it to Mordie. Esther gave Mordie charge of all Neall's houses and lands.

Then Esther spoke again to the King, in tears at his feet. She begged him to put a stop to the evil plan that Neall had concocted against the Picts. The King held out the golden sceptre to her once again, so she stood up and said: "If it please your Highness, and if you care for me, and if you think it right, please block Neall's Order to have all the Picts killed in every part of the kingdom. How could I bear it if my people were all murdered?"

King Art then said to Queen Esther and Mordie the Pict: "See here, I have taken Neall and had him hanged for his evil plan against the Picts, and I have given Esther all his property. But royal orders are always routinely done in the King's name, and when it is sealed with the Royal Seal it cannot be countermanded. However, you can write to the Picts anything else you want, and you can write it in the King's name and seal it with the Royal Seal." This took place on 22nd of March. Mordie called the King's scribes together and wrote letters to all the Picts and to the chiefs, ministers and officers of all the 127 provinces from Scotland to Ulster. These letters were written to every province in their own language and style of writing. Mordie had the letters written in the name of King Art, and they were stamped with the Royal Seal.

These letters announced that every Pict in every area could come together and confer, and they could build stone shelters in secret and take up arms themselves. If any man should attempt to fight the Picts, although they had the King's command through Neall behind them, the Picts could fight back and slaughter them. This new order was operative from 13th of December.

Mordie rode out of the fort, dressed in his royal clothes of blue and white, and a coat of purple linen and a shining gold crown. The Streets and Rows of Duncunning were alive with Picts behaving wildly and making a good show of a celebration out of it all. Mordie halted his horse in the Square and called out, "Pay attention. Don't leave off your preparations. There may be no safety in numbers when Neall's men come. Go and dig pits in the ground, and roof them with stones so that those who cannot fight can go underground."

When the 13th of December came, the day of the Black Draw, all those who had supported Neall and who were so antagonistic to the Picts that they still felt impelled to fight even though Neall was dead, rose up and marched against them. But the Picts melted away into the ground in front of them, except in a few areas where there were so many Picts that they could defend themselves – mostly in their own territory. When the fighting was over, the Picts had won the day. Tens of thousands of Picts came from everywhere in the kingdom to celebrate in Duncunning. And to give gifts of gold and silver to their own Queen Esther and to King Art. There were more than 350 chests full of gold and silver collected that day – more than Neall had promised to the King.